平面图形

我超喜爱的趣味数学故事书

谁是国王

纸上魔方 著

北方妇女儿童出版社
长春

图书在版编目（CIP）数据

谁是国王：平面图形 / 纸上魔方著 . — 长春：北
方妇女儿童出版社，2014.4（2020.5 重印）
（我超喜爱的趣味数学故事书）
ISBN 978-7-5385-8173-7

Ⅰ . ①谁… Ⅱ . ①纸… Ⅲ . ①数学—儿童读物 Ⅳ .
① O1-49

中国版本图书馆 CIP 数据核字 (2014) 第 049763 号

编委会

任叶立　徐硕文　徐蕊蕊　余　庆　李佳佳　陈　成　尉迟明姗

谁是国王·平面图形
SHEI SHI GUOWANG · PINGMIAN TUXING

出 版 人	刘　刚
策 划 人	师晓晖
责任编辑	张　丹
插画绘制	纸上魔方
开　　本	889mm×1194mm　1/16
印　　张	2.5
字　　数	20 千字
版　　次	2014 年 4 月第 1 版
印　　次	2020 年 5 月第 2 次印刷
印　　刷	长春市彩聚印务有限责任公司
出　　版	北方妇女儿童出版社
发　　行	北方妇女儿童出版社
地　　址	长春市龙腾国际出版大厦
电　　话	总编办：0431-81629600　　发行科：0431-81629633
定　　价	19.80 元

数学就是这样有趣

  数学有什么用？为什么学数学？对于许多小朋友来说，数学不仅是一门比较吃力的功课，枯燥、乏味的运算更让孩子心生畏惧。而数学原本就是一门来源于生活的科学。孩子们日常生活中的小细节、小故事，都蕴藏着丰富的数学知识，只要你稍加留心，就会发现无处不在的数学规律。

  《我超喜爱的趣味数学故事书》正是抓住了这一规律，通过讲故事、做游戏，激发起孩子学习数学的兴趣。把抽象枯燥的数学知识，转化成看得见、用得到的生活常识，让孩子们通过故事与漫画，更加直观而轻松地认识数学、爱上数学。全书更重在培养孩子解决问题的思考方法，提高孩子逻辑思维能力和综合素质。

　　与此同时，编者还巧妙地将数学知识穿插在故事当中，这些入门知识的反复出现，更有利于孩子们加深记忆，掌握学习数学的技巧。

　　更值得一提的是，这套《我超喜爱的趣味数学故事书》还真正为父母们提供了一个和孩子共同学习的机会。在每一本分册的末尾，都有编者精心设计的互动园地。在这一板块中，父母可以更直观地看到书中所讲述的知识点，了解孩子的学习进度，结合实际应用，帮助孩子们进一步理解数学的意义，掌握数学知识。

　　相信这套《我超喜爱的趣味数学故事书》，一定会让孩子们认识到数学之美，轻轻松松爱上数学，学好数学！

　　由于编者水平有限，这套书中一定还有不足之处，敬请广大读者不吝赐教，为我们提出宝贵意见。

"艾丽娅，别再看动画片了，你该睡觉了，别忘了睡觉之前，把你的作业本收拾好。"

"好吧，妈妈。"

1

　　夜晚，小镇上静悄悄的。和所有的孩子一样，艾丽娅也进入了梦乡。可是她并不知道，这个时候，她的作业本里正在热热闹闹地进行着选举。

"嗨，伙计们，你们说谁才应该是图形世界里的国王？"胖胖的圆决定先发制人。

"当然是我！"正方形觉得，自己长得最整齐。

"没有人喜欢你，四四方方的，太难看了！而且我比你个子高，当然应该是我。"长方形不甘示弱地说。

"吵什么吵，烦死了！不就是当国王吗？那我们来比比，谁出现得多，谁就赢了！我们就让它当国王好了。"三角形小姐不耐烦地说。

"那必须是我啊，你看，硬币是圆形的，杯子是圆形的，碟子、汤碗都是圆形的，对，还有艾丽娅的手表，也是圆形的。"胖胖的圆一脸骄傲。

"那有什么了不起，艾丽娅的积木是正方形的，她最喜欢的饼干盒也是正方形的。还有艾丽娅的手帕也是正方形的，客厅里茶几上的烟灰缸也是正方形的！"

"哎，难道你们都没有看到，我无处不在吗？积木里有我，书架上有我，就连我们现在住的作业本都是长方形的了，更不用说客厅里的茶几、墙壁，这些都是长方形。"

"好像艾丽娅的积木里，除了没有圆形之外，其他的形状都有吧，我也在其中。还有，你们没看到吗，这屋顶就是三角形的。没有我，连这个家都没有，所以，我才应该是国王！"三角形小姐高傲地说。

"我出现的最多,我是国王……"

"我最重要,所以,国王应该是我……"

整整一夜,图形们还是没有争论出结果。

"这样吧，明天，哦不，现在已经天亮了，今天晚上，我们再来决定，谁才应该是国王。"胖胖的圆说完，躺在作业本上开始呼呼大睡。

"好吧，我也困了，晚上再继续！"长方形也躺下了。

又到了夜晚，图形们的选举会议又开始了。

"今天，不如我们来比比谁最有特点吧。"正方形率先开口，"难道你们没有发现，我是最有规律的形状吗？我的每一边都一样长。"

"如果这么看，那我才应该是最特别的吧，我的身上只有三个点，三条边。"三角形小姐懒洋洋地开口。

"喂喂，难道你们都没有注意到我吗？我的身材才是最完美的，没有起点，也没有终点，如果咱们来赛跑的话，一定是我跑得最快。"胖胖的圆斜眼看了一眼周围的人。

"两个三角可以拥抱着躺在一起，比你们都节省空间。"

"那不刚好是一个长方形嘛！"长方形也很骄傲。

"别忘了，也有可能是正方形！"

"不，还有可能是菱形！"这一次，菱形也加入了讨论。"我才是最特别的图形吧，我可以随意改变自己的身材！"说着，菱形收了收肚子，瞬间变得又瘦又高。

"哎，真麻烦，又快到天亮了，不如明天我们让艾丽娅来给大家作个决定吧。"胖胖的圆今天有点累了，所以耐心有限。

"好吧，就这么办！"其他图形也纷纷附和。

　　这一天，艾丽娅在学校里过得很开心，晚上早早地做完作业，没用妈妈催促就洗漱睡下了。睡梦里，她忽然听见有谁在跟她说话。

"艾丽娅，醒醒，我们需要你。"

"啊？！"艾丽娅惊讶地看着，作业本上的圆形居然站在自己面前，"哦，圆形先生吗？你需要我做点什么？"

"很简单，我们图形王国想选一个国王，大家已经讨论两天了。两天了，哼，可是还是没有结果，不是说人都很聪明吗？你来当个评委吧。"

　　"原来是这样，好吧，那你快带着你的伙伴们来我这里吧！"艾丽娅觉得能和自己作业本里的图形坐在一起开会，实在是一件既新奇又有趣的事情。

　　不一会儿，图形家族的伙伴们就围着艾丽娅坐了一圈。

"艾丽娅，你是我找来的，你得先听我说，要我说，圆形是最伟大的，也是最完美的。因为我，人类才发现了圆周率。"

"嗨嗨嗨，亲爱的主人，长方形才是最常见的吧，你看，你的书、你的作业本，都是我们，所以，我才应该是国王，对不对？"

"只有三角形才是最特别的……"
"只有菱形……"
图形们的争论又开始了。

"好了朋友们，为什么你们一定要选出国王呢？每一个图形都是不可缺少的，也都有自己的优点啊。你看，学校的防护门就是菱形的；前几天，老师带我们去参观工厂，很多齿轮都是圆形的。没有它们，就制造不出这么漂亮的世界啊！"

"还有你们，我亲爱的正方形和长方形，你们是我最好的朋友了。哦，对了，还有梯形，如果没有你，建筑工人叔叔就不会建造出漂亮的房子了。"

"亲爱的三角形小姐，大概因为你太漂亮了，所以，很多人才会愿意把你放在屋顶上吧！我想，我不能离开你们其中的任何一个！"艾丽娅看着可爱的图形，笑眯眯地说。

"是啊是啊，既然如此，我们何必需要国王呢？"椭圆形说。

"没错，让我们像从前一样，开开心心地生活在一起吧！"梯形也很赞成这样的说法。

"好了，我想我们这几天的会议终于可以圆满结束了！"胖胖的圆形满意足地笑了起来。

"好吧，那我们都去休息吧。希望有机会在见到你们！"

"艾丽娅，起床了！上学就要迟到了，你看你的作业本还没有收起来。"

"好的，妈妈，我就起来了！"艾丽娅揉揉眼睛，看着桌上的作业本，开心地笑了。

1. 三角形有 _____ 条边?
请画出三种不同样子的三角形

2. 正方形一共有 ___ 条边，每条边的长度都 _____
你能画出两个大小不同的正方形吗?

3. 长方形一共有 ___ 条边，它与正方形的区别是 _____
你能画出两个大小不同的长方形吗?

4. 请你写出四种家中能找到的圆形物体
_____
你能画出一个圆形吗?

平面图形

这是关于图形的小故事

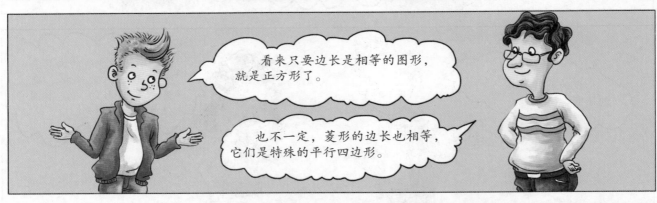